L'OURS QUI AIMAIT LES ARBRES

**À ma mère,
qui était censée
avoir écrit ce livre**

Édition publiée par les Éditions Scholastic,
604, rue King Ouest, Toronto (Ontario) M5V IEI,
avec la permission de Kids Can Press Ltd.

7 6 5 4 3   Imprimé à Singapour CPI30   I2 I3 I4 I5 I6

Catalogage avant publication de Bibliothèque et Archives Canada

Oldland, Nicholas, 1972-
[Big bear hug. Français]
L'ours qui aimait les arbres / Nicholas Oldland ; texte français de
Claudine Azoulay.

Traduction de: Big bear hug.
Pour les 2-6 ans.

ISBN 978-I-443I-0I6I-5

I. Azoulay, Claudine II. Titre. III. Titre: Big bear hug. Français.

PS8629.L46B54I4 2010   jC8I3'.6   C2009-906II9-8

FSC
www.fsc.org
MIXTE
Papier issu
de sources
responsables
FSC® C019704

L'OURS QUI AIMAIT LES ARBRES

Nicholas Oldland

Texte français de Claudine Azoulay

Éditions
SCHOLASTIC

Il était une fois un ours très heureux et très affectueux. Il avait tellement d'amour à donner qu'il faisait un câlin à chaque être vivant qu'il croisait sur son chemin dans la forêt.

Partout où il se promenait, l'ours distribuait son amour,
un câlin après l'autre.

Il faisait même un câlin aux créatures que les ours sont censés manger. Il pouvait croiser un lapin très dodu et simplement s'arrêter, sourire et lui faire un super gros câlin.

Aucun animal n'était trop gros...

trop petit...

trop puant...

ou trop effrayant pour un câlin.

Mais c'est aux arbres que cet ours aimait le plus faire un câlin.

Il n'avait jamais rencontré un arbre qu'il n'aimait pas.

Des gros arbres...

des petits arbres...

des pommiers...

des poiriers...

des pêchers.

L'ours leur faisait un câlin, à tous.

Un jour, alors qu'il tentait de faire un câlin à un castor
et à un arbre en même temps, il vit un homme avec
une hache entrer dans la forêt.

Il le suivit. L'homme s'arrêta devant l'un des plus
grands, des plus vieux et des plus beaux arbres
de la forêt. Il passa tellement de temps à observer
cet arbre magnifique que l'ours pensa que cet
homme devait aimer les arbres, lui aussi.

Mais sous les yeux de l'ours horrifié, l'homme
se mit à couper l'arbre.

Pour la première fois de sa vie, l'ours ne ressentit
pas du tout l'envie de faire un câlin.

Au moment où il s'apprêtait à planter ses dents dans l'homme, l'ours s'arrêta net.

Il se rendit compte que même s'il était très fâché, il ne pouvait pas manger l'homme. Ce n'était absolument pas dans sa nature! L'ours poussa un soupir et décida de faire ce qu'il avait toujours su très bien faire.

Il fit un CÂLIN à l'homme!

L'homme n'avait pas l'habitude de recevoir des gros câlins d'ours. Dès que l'ours le relâcha, l'homme laissa tomber sa hache et s'enfuit en courant, loin, très loin.

Et sais-tu ce que l'ours a fait ensuite?

L'ours a souri et il a fait un super gros câlin à l'arbre.

L'arbre s'est alors senti beaucoup mieux.